Une mouche domestique vit entre
deux semaines et un mois.

Mon premier est une note de musique.

Mon deuxième est une note de musique.

Mon troisième est une note de musique.

Mon quatrième est un oiseau noir et blanc.

Mon tout est un grand fleuve des États-Unis.

• •

Une dame en voiture roule au-dessus de la limite permise. Un policier l'arrête et lui donne une contravention.

— N'êtes-vous pas censé donner des avertissements d'abord? demande la dame.

— Oui, madame. Ils sont placés le long de la route et affichent « 100 km/h ».

4

Durant l'Antiquité, les membres de la
famille royale chinoise cachaient leur
pékinois dans les larges manches
de leurs habits officiels.

Avant de partir lui acheter un cadeau, un homme demande à sa femme quelle est sa taille.

— Petit pour les vêtements. Grand pour les diamants! lance-t-elle.

Une grenouille qui mange beaucoup
de lucioles peut elle-même
devenir lumineuse!

Le petit Jonathan se retrouve accidentellement dans le vestiaire des dames, qui se mettent à crier et à se bousculer pour se couvrir.

— Qu'est-ce qu'il y a? demande Jonathan. Vous n'avez jamais vu de petit garçon?

Samuel annonce à sa mère qu'il a
une bonne et une mauvaise nouvelle :
— La mauvaise : j'ai perdu mon soulier
à l'école... La bonne : il m'en reste
encore un!

• • • • • • • • • • • • • • • • • • •

Une mère surprend son fils en train
de boire à même le contenant de lait.
— Que je ne t'y reprenne plus!
— Je vais essayer, maman, mais tu
marches tellement silencieusement...

Sophie donne la permission à son petit frère Vincent d'utiliser son jeu électronique qui consiste à faire évoluer des personnages dans la vie de tous les jours avec un budget donné. Vincent décide d'ajouter un enfant à un couple.

— Non, ne fais pas ça! dit Sophie. Les enfants coûtent cher et ne servent à rien!

CONNAISSEZ-VOUS L'HISTOIRE DE L'HOMME QUI EST MORT DE FROID AU CINÉ-PARC?

RÉPONSE : IL ÉTAIT ALLÉ VOIR LE FILM « FERMÉ POUR L'HIVER ».

La langue du caméléon est aussi longue
que son corps et sa queue réunis.

Un couple réaménage son salon.

— Où dois-je accrocher ce tableau? demande l'homme à sa femme.

— Sur ce mur-là. Le marteau et les clous sont dans la boîte à outils. Le désinfectant et les pansements sont dans l'armoire à pharmacie.

. . . .

Il y a deux écureuils sur un arbre : un petit et un gros. Le petit est le fils du gros, mais le gros n'est pas son père. Qui est le gros?

— La mère, voyons!

Les poissons peuvent souffrir du mal de
mer si on les place dans un seau.

L'éléphant d'Afrique a les oreilles beaucoup plus grandes que l'éléphant d'Asie. Il s'en sert pour s'éventer.

L'éléphant d'Asie vit dans des régions
boisées plus fraîches et n'a donc pas
besoin d'oreilles aussi imposantes.

Un aviateur raconte sa mésaventure
à un ami.

— J'étais dans mon avion, en pleine
tempête, le moteur coupé, sans une
goutte d'essence!

— Comment as-tu fait pour atterrir?

— Qui t'a dit que j'avais décollé?

. . . .

Sébastien et son ami se disent
au revoir.

— À demain (deux mains)! dit l'un.

— À dix doigts! répond l'autre.

DEUX SQUELETTES SE BATTENT. QUE DIT
CELUI QUI EST EN TRAIN DE PERDRE?

RÉPONSE : J'AURAI TA PEAU!

Mon premier est le contraire de tard.
Mon deuxième est le contraire de laid.
Mon troisième s'enfile sur les mains.
On utilise mon tout pour glisser.

Un homme entraîne une inconnue
sur la piste de danse.

— Vous êtes incroyablement belle,
lui déclare-t-il.

— J'ai bien peur de ne pas pouvoir
en dire autant de vous, répond-elle.

— Ce n'est pourtant pas bien difficile.
Vous n'avez qu'à mentir aussi bien que
moi.

• •

Un homme entre dans un hôpital et
se rend à l'accueil.

— Je voudrais voir mon copain qui
s'est fait écraser par un rouleau
compresseur.

— Allez aux chambres 9, 10, 11,
12 et 13, répond le préposé.

18

Des écriteaux placés un peu partout autour d'une maison indiquent « ATTENTION AU CHIEN ». Voyant l'air inoffensif du minuscule chihuahua, un homme demande à la maîtresse de maison :

— Il est tout petit. Pourquoi avoir mis ces pancartes partout?

— Pour que l'on ne marche pas dessus!

• • • • • • • • • • • • • • • • • •

Deux grenouilles discutent. L'une d'elles pose une question.

— Coa, coa?

— On ne dit pas « quoi? ». On dit « comment? ».

La bouche de l'éléphant ne comprend
que quatre dents : deux sur
chaque mâchoire.

Voyant que ses employés lui manquent de respect, un patron place une affiche sur la porte de son bureau sur laquelle on peut lire : « C'est moi le patron! » Lorsqu'il revient de dîner, un message est collé sur l'affiche : « Votre femme a téléphoné. Elle veut que vous lui rendiez immédiatement son affiche. »

. . . .

Un homme attablé devant un verre de bière doit se rendre au téléphone tout au fond de la salle. Il se dit : « Si j'y vais, on va boire mon verre... » Il prend donc une étiquette et écrit : « J'ai craché dans mon verre. »

L'esprit tranquille, il va téléphoner. Quand il revient, il lit sur l'étiquette : « Moi aussi. »

Un homme entre dans un dépanneur en hurlant :

— UNE BOÎTE D'ALLUMETTES, S'IL VOUS PLAÎT!

— Oh! mais voyons, je ne suis pas sourd! Avec du sucre?

. . . .

Un homme entre dans un hôpital.

— Qu'est-ce qui vous arrive? lui demande une infirmière.

— Une soucoupe volante m'a renversé. Un camion à incendie m'a écrasé. Une grosse bagnole m'a roulé dessus et je me suis fait écraser par les sabots d'un cheval!

— Ce n'est pas possible… Je ne vous crois pas!

— Si! C'est vrai! Vous n'avez qu'à demander au patron du manège…

Un gramme de venin du cobra royal
est si dangereux qu'il pourrait tuer
150 personnes.

Une jeune femme discute avec son amie.

— Tu sais, je vais bientôt me marier.

— C'est merveilleux!

— En plus, mon fiancé m'a juré que j'étais la plus belle femme qu'il ait jamais rencontrée.

— Tu ne vas quand même pas épouser un homme qui commence déjà à te mentir!

· ·

Mon premier est le contraire de la mort.

Mon deuxième est ce que l'on fait quand on ramasse des feuilles.

Mon troisième est à la pointe du crayon.

Mon tout donne de l'énergie.

En 1888, 300 000 momies de chats ont
été retrouvées en Égypte. Elles ont été
vendues en Angleterre, où elles ont été
utilisées comme engrais.

Si on place des électrodes sur
un cornichon et qu'on y fait passer
un courant électrique, le cornichon
se mettra à briller!

Un homme dîne au restaurant.

— J'aimerais un steak pas trop cuit,
un camembert pas trop frais, une poire
pas trop mûre et un café pas trop fort.

— Et avec ça? demande le serveur.
De l'eau pas trop mouillée peut-être?

. . . .

Dracula va souper au restaurant.
Un serveur l'accueille.

— Je vous apporte le menu, monsieur?

— Non. Donnez-moi plutôt la liste
des clients!

Deux hommes pas très malins se balancent sur une planche qu'ils ont placée sur le rebord d'une fenêtre au deuxième étage. L'un est dans le vide et l'autre, dans la pièce. On sonne à la porte. Celui qui est dans la pièce se lève et descend au rez-de-chaussée pour aller ouvrir. Il est surpris de voir son ami étendu par terre devant la porte.

— Si j'avais su que c'était toi, je ne me serais pas dérangé!

• •

— Je pense qu'il est vrai que la télé peut entraîner la violence, dit Kim.

— Qu'est-ce qui te fait dire ça? demande David.

— Eh bien chaque fois que je l'allume, mon père me crie après!

Georges rentre bredouille de la pêche. Arrivé en ville, il s'arrête chez un poissonnier.

— Je voudrais trois truites, mais ne me les mettez pas dans un sac. Lancez-les moi!

— Pourquoi voulez-vous que je fasse ça?

— Je veux pouvoir dire honnêtement que j'ai attrapé trois poissons.

QUE FAIT UN JARDINIER QUAND IL MENT?
RÉPONSE : IL RACONTE DES SALADES.

Quand la maman renard part en
promenade avec ses petits, elle utilise
sa queue comme drapeau pour que les
plus jeunes ne se perdent pas.

Lorsque le renard a froid, il utilise
sa queue comme écharpe en
l'enroulant autour de lui.

Alain demande à sa mère de l'aider
à sortir du bain. Sa mère se demande
où elle va poser son petit frère qu'elle
tient dans ses bras... Alain lui dit alors :

— Tu n'as qu'à le remettre dans ton
ventre!

• • • • • • • • • • • • • • • • • • •

Une maman enceinte se réjouit.
Son bébé vient de lui donner un coup
de pied. Voyant la joie de sa mère,
Olivier, trois ans, décide lui aussi de
lui donner un coup de pied pour lui faire
plaisir...

Mon premier est un grand récipient.

Mon deuxième est la 20ᵉ lettre de l'alphabet.

Mon troisième est une céréale cultivée dans l'eau.

Mon tout peut te rendre malade.

• •

Lors de la rentrée scolaire, l'enseignante organise une activité d'équipe pour que ses élèves apprennent à se connaître. Elle leur demande de répondre à la question : « Qu'est-ce que j'aime chez lui? » L'un des élèves répond :

— Je ne sais pas. Je ne suis jamais allé chez lui.

Deux copains se rencontrent à l'occasion d'une noce.

— Lorsque j'étais plus jeune, raconte le premier, je détestais aller à des mariages.

— Ah bon! Et pourquoi?

— Parce que mes tantes me disaient toujours : « C'est toi le prochain! »

— Et elles ont arrêté?

— Oui. Quand j'ai commencé à dire la même chose aux enterrements!

Les hippopotames ne bâillent pas
seulement parce qu'ils sont fatigués,
mais aussi en signe de menace.

Mon premier est la 11e lettre
de l'alphabet.

Mon deuxième est un animal qui vit dans
les égouts.

Mon troisième est la boisson préférée
des Anglais.

Mon tout est un sport de combat.

. . . .

Une toute petite fille regarde
avec intérêt un combat de lutte à
la télévision. Soudain, elle lève
les yeux et dit :

— Regarde, maman! Les deux messieurs
se battent dans leur parc!

Sarah va à la pâtisserie et voit un millefeuille qui coûte quatre dollars. Elle commande :

— Pourrais-je en avoir 500? Je n'ai que deux dollars.

. . . .

Perdu en plein désert, un homme arrête sa voiture. Il ne voit rien sauf un hibou sur un cactus.

— Hibou, quelle est la façon la plus rapide de me rendre en ville?

— Es-tu à pied ou en voiture?

— En voiture.

— Eh bien, répond le hibou, c'est la façon la plus rapide.

Marie offre à son fils un pyjama des Canadiens de Montréal. Il l'enfile aussitôt et va rejoindre son père qui regarde un de leurs matchs à la télévision. Il s'écrit soudainement :

— Maman! À la télé, ils ont mis leur pyjama eux aussi!

• •

Julie observe son grand-père qui gratte un billet de loterie et dit :

— Papa, lui, achète toujours un billet perdant.

Mon premier souffle.

Mon second est le contraire de tôt.

Mon tout est prétentieux.

. . . .

Mon premier est un adjectif possessif.

Mon deuxième est la demeure
de l'oiseau.

Mon troisième habille la main.

Mon quatrième est un déterminant
démonstratif.

Mon tout est une petite manœuvre
secrète.

Une enseignante explique que la plupart des billets d'absence qu'elle reçoit des parents de ses élèves sont peu convaincants. Il y en a toutefois un qui se distingue du lot : « Veuillez excuser l'absence de Jean, hier. Je ne m'étais pas rendu compte que nous étions déjà lundi. »

• •

Gaston rentre à la maison après une dure journée d'école.

— Aujourd'hui, on nous a vaccinés, explique-t-il à sa mère.

— Ah oui? Et contre quoi?

— Contre ma volonté! répond l'enfant.

L'estomac du crocodile contient un certain nombre de pierres qui l'aident à broyer et à digérer sa nourriture.

Un homme se rend au comptoir d'une
bibliothèque et demande :

— Un hamburger et une frite,
s'il vous plaît.

— Monsieur, vous êtes à la
bibliothèque, répond l'employé.

— Désolé. Un hamburger et une frite,
répète-t-il en chuchotant.

• • • • • • • • • • • • • • • • • • • •

Albertine feuillette un livre. Soudain,
elle se lève et se plante devant son
père, qui regarde la télévision,
et lui dit :

— Papa, baisse un peu le volume,
je n'entends pas mon livre!

Un homme entre dans un salon de coiffure et demande combien coûte une coupe.

— Huit dollars, dit la coiffeuse.

— Et pour un rasage?

— Cinq dollars.

— Très bien, dit-il. Rasez-moi le crâne alors…

• •

Mon premier pousse au menton.

Mon second est la 9ᵉ lettre de l'alphabet.

Mon tout est le nom d'une poupée bien connue.

Une enseignante donne à ses élèves un sujet de rédaction : « Imaginez ce que vous feriez si vous étiez le PDG d'une grande entreprise. »

Tous les enfants se mettent aussitôt à écrire, sauf le petit Bastien.

— Eh bien, tu n'as pas d'idées? demande l'enseignante.

— Oui, madame, mais j'attends ma secrétaire!

· ·

Un adolescent présente son bulletin à son père et explique :

— Voilà mon bulletin. Et l'autre feuille, c'est une liste de chefs d'entreprises qui n'ont jamais fini leur secondaire.

Mon premier est un hurlement.

Mon deuxième est l'endroit où vivent les oiseaux.

Mon troisième, c'est ce que tu respires.

Mon tout est sur l'encolure du lion.

• • • • • • • • • • • • • • • • • • • •

  Un papa donne un balai à sa fille pour compléter son costume de sorcière d'Halloween. Après un moment, la fillette lui dit :

— Tu aurais dû l'essayer au magasin! Il ne marche pas!

Il y a plus d'insectes sur
une superficie d'environ 2 km²
à la campagne qu'il y a d'habitants
sur toute la Terre!

Couvert de plaies et de bosses dans son lit d'hôpital, un homme explique à son ami :

— Le match de soccer venait de commencer à la télé. J'ai dit à ma femme que ça prendrait un troupeau de buffles sauvages pour me faire quitter la pièce. Je ne sais toujours pas où elle les a trouvés...

Les aiguilles d'une montre tournent
vers la droite parce que l'ombre sur
un cadran solaire se déplace vers
la droite dans l'hémisphère Nord.
Si la montre avait été inventée dans
l'hémisphère Sud, où l'ombre se
déplace vers la gauche, les aiguilles
des montres tourneraient peut-être
dans le sens contraire!

48

Un patron ne comprend pas pourquoi sa nouvelle secrétaire ne bronche pas quand le téléphone sonne.

— Vous devez absolument répondre! lui dit-il, excédé.

— Ça ne sert à rien! Neuf fois sur dix, l'appel est pour vous.

● ● ● ● ● ● ● ● ● ● ● ● ● ● ● ● ● ● ● ●

Le téléphone sonne. La secrétaire répond puis se tourne vers son patron :

— Monsieur, cet appel est peut-être pour vous.

— Comment ça « peut-être »? Il est pour moi, oui ou non?

— Je pense bien… On demande à parler à l'imbécile qui dirige notre compagnie…

Mon premier est une note de musique.

Mon deuxième est un animal carnivore femelle.

On a besoin de mon troisième pour vivre.

Tout le monde veut être mon tout.

• •

Mon premier sert à lier deux mots.

Mon deuxième est synonyme de glu.

Les quatre dernières lettres de « relier » forment mon troisième.

Mon tout va à l'école.

Chaque année, un millier de nouveaux
insectes sont découverts.

Alors qu'il roule en moto, un homme heurte un oiseau. Il voit la pauvre bête à moitié morte sur la route, dans son rétroviseur. Pris de remords, il fait demi-tour, ramasse l'oiseau inanimé et le ramène chez lui. Il l'installe dans une cage et lui donne de l'eau et du pain.

Le lendemain, l'oiseau retrouve ses esprits. Il contemple les barreaux de sa cage, l'eau et le pain sec, puis s'exclame :

— Oh non! j'ai tué le motocycliste!

Un électricien arrive aux soins intensifs dans un hôpital. Il regarde les patients branchés sur un respirateur et dit :

— Prenez tous une grande inspiration! Je dois couper le courant.

. . . .

Le directeur de l'hôpital demande à un patient pourquoi il s'est enfui de la salle d'opération.

— C'est que l'infirmière a dit : « Soyez courageux! L'ablation des amygdales est une opération très simple. »

— Elle avait raison, l'amygdalectomie est une petite opération, répond le directeur.

— Peut-être, mais elle ne s'adressait pas à moi… Elle parlait au chirurgien!

Deux femmes discutent en prenant un café.

— Ça fait presque deux ans que je suis mariée, dit l'une. Mon mari et moi ne nous sommes jamais disputés. Quand nous ne sommes pas d'accord et que j'ai raison, mon mari finit toujours par se rallier à mon point de vue.

— Et comment ça se passe quand c'est lui qui a raison?

— La situation ne s'est pas encore présentée.

Mon premier est une voyelle.

On dort dans mon deuxième.

Mon troisième ne dit pas la vérité.

Mon quatrième est un adjectif possessif
féminin.

Mon cinquième coupe du bois.

Mon sixième est un pronom indéfini.

Mon tout doit être équilibré.

Les girafes dorment 20 minutes toutes les 24 heures.

Une girafe peut nettoyer ses oreilles
avec sa langue noire qui mesure 40 cm.

Un ivrogne entre dans un autobus bondé et demande :

— Qui a perdu une liasse de billets de 100 $ avec un élastique autour?

— Moi! répond immédiatement un homme.

— Alors, tenez. J'ai trouvé l'élastique.

• •

Mon premier peut être droit ou obtus.

Mon deuxième est une planète du système solaire.

Mon tout est en Europe.

Les ingénieurs de la firme Philips ont jugé que la 9e symphonie de Beethoven devait pouvoir être enregistrée en entier sur un CD. C'est donc cette symphonie qui a déterminé la capacité de stockage de tous les futurs CD.

Dans un restaurant français, un client interpelle le serveur :

— Il y a une faute d'orthographe sur votre menu. Vous avez écrit « Filets de cendre », au lieu de « Filets de sandre ».

— Non monsieur, c'est juste, nos filets sont un peu brûlés...

QUE MANGE UNE MITE AU RÉGIME?

RÉPONSE : DES BIKINIS.

Un père fait la leçon à sa fille.

— Souviens-toi, mon enfant, que
la réussite dépend de l'honnêteté
et de la sagesse.

— C'est quoi l'honnêteté?

— C'est tenir ses promesses.

— C'est quoi la sagesse?

— C'est ne jamais faire de promesses.

• •

Mon premier est la femelle du canard.

Mon second est un gros poisson de mer.

Mon tout est un bébé qui fait « coin-
coin ».

Les fourmis ne dorment pas.

Une dame demande à sa voisine de l'aider à trouver un cadeau d'anniversaire pour son patron qu'elle n'aime pas.

— Que donne-t-on à quelqu'un qui n'a pas de vie? demande-t-elle un peu frustrée.

— Une jolie urne peut-être?

• •

Mon premier est un oiseau noir et blanc.

Mon second est la femelle du rat.

Mon tout est méchant.

Au magasin, Étienne, quatre ans, essaie des chaussures bleues avec des attaches velcro. Sa mère, qui préfère les lacets, essaie de l'influencer :

— Moi, j'aime bien mieux les blanches avec des lacets.

— Dommage, dit son fils imperturbable. Elles sont trop petites pour toi.

QUE DIT UN JEUNE ENFANT LA PREMIÈRE FOIS QU'IL VOIT UN ANIMAL ÉCRASÉ SUR LA ROUTE?

RÉPONSE : LA PROCHAINE FOIS, J'ESPÈRE QU'IL FERA ATTENTION!

Un père prépare les lunchs de ses enfants et de sa femme. Le soir, il voit que sa femme n'a pas mangé le sien.

— Les enfants, eux, ne sont jamais revenus avec leur repas!

Sa petite fille se penche et chuchote à sa mère :

— On échange toujours nos dîners à l'école. Tu n'as pas d'amis à ton travail?

• •

Après avoir fait la lessive, un homme s'exclame :

— Regarde ma chérie! Ton tee-shirt est devenu merveilleusement blanc au lavage!

— Oui, mais je l'aimais mieux rayé…

Tous les cygnes d'Angleterre
appartiennent à la reine.

Le jour de la rentrée des classes, l'enseignant demande à Sophie :

— As-tu passé de belles vacances?

— Oui! C'était formidable… midable… midable!

— Et où es-tu allée?

— Au Grand Canyon… nyon… nyon.

— Il devait y avoir beaucoup d'écho là-bas?

— Oui, comment l'avez-vous deviné… viné… viné?

. . . .

Mon premier est un animal domestique.

Mon second est le contraire de tard.

Les princesses habitent dans mon tout.

Une mère emmène son fils à l'hôpital, car le pauvre enfant a besoin de points de suture. Pendant que l'infirmière referme la plaie, le brave garçon ne verse pas une larme. Étonnée, la mère lui demande :

— Est-ce que tu as compris quand l'infirmière t'a dit que tu pouvais pleurer si tu le voulais?

— Je pensais que c'était à toi qu'elle parlait.

Rire de 10 à 15 minutes par jour
permet de brûler 10 à 40 calories, soit
l'équivalent d'un carré de chocolat.

Deux fous font une pêche miraculeuse. Ils veulent marquer l'endroit pour pouvoir y revenir plus tard. L'un d'eux fait une croix au fond du bateau.

— C'est idiot! dit l'autre fou.

— Pourquoi?

— Eh bien... si on ne prend pas le même bateau...

• •

M. Ver de terre et sa femme rencontrent une amie qui se promène seule.

— Mais où est donc votre mari?

— À la pêche...

L'équateur traverse 13 pays :
l'Équateur, la Colombie, le Brésil,
Sao Tomé-et-Principe, le Gabon,
la République du Congo, la République
démocratique du Congo, l'Ouganda,
le Kenya, la Somalie, les Maldives,
l'Indonésie et la République de Kiribati.

Samuel bavarde avec une cousine qu'il n'a pas vue depuis longtemps. Soudain, il s'écrie :

— Regarde cet homme! Il a une énorme verrue sur le nez!

— C'est mon mari, dit sèchement la cousine.

— Après réflexion, ça lui va très bien.

72

Pierre commence à travailler comme vendeur dans une boutique de chaussures. Le gérant lui donne ses dernières instructions :

— Si un client réclame un article que nous n'avons pas en magasin, répondez toujours que nous pouvons le faire faire sur mesure.

— Oui, monsieur, dit Pierre qui se précipite vers son premier client.

— Avez-vous des chaussures de crocodile? demande celui-ci.

— Non, répond Pierre, mais nous pouvons vous les faire sur mesure. Vous n'avez qu'à me donner la pointure de votre crocodile.

Un facteur revient au bureau de poste, le pantalon déchiré et la jambe ensanglantée.

— Qui t'a fait ça? lui demande un employé du bureau.

— Je me suis fait attaquer par un chien alors que je faisais ma tournée.

— As-tu mis quelque chose sur ta jambe?

— Non... Le chien l'a aimée nature.

• •

Une maman chien dit à son chiot :

— Si tu continues de courir comme un fou, tu te cogneras contre un mur et tu deviendras comme notre voisin, le bouledogue.

L'étoile de mer fait sortir son estomac
de son corps pour manger.

Après avoir lu le bulletin de son fils, un père demande :

— Pourquoi as-tu eu ce zéro?

— Eh bien, c'est parce que je ne sais pas où se trouve le col du fémur.

— Bah! ne t'inquiète pas pour ça. Moi aussi, à ton âge, j'étais nul en géographie.

• • • • • • • • • • • • • • • • • •

Avant, on disait : « Mon chien a mangé mon devoir ». Aujourd'hui, on dit : « Mon chien a mis les pattes sur les touches Ctrl, Alt, Suppression ».

Une vieille dame dit à son vieux mari :

— Que j'aimerais vivre jusqu'à
100 ans!

— Alors, lui répond son mari, arrête
de dire à tout le monde que tu n'as que
40 ans, et tu vas y arriver bientôt!

• • • • • • • • • • • • • • • • • • • •

Une jeune poule a pondu un bel œuf.

— Oh! s'exclame grand-maman poule,
comme il ressemble à son père au même
âge!

Mon premier est une montagne.

Mon deuxième est un sport.

Mon troisième est le contraire
de demain.

Mon tout est un moyen de transport.

Un employé demande à son patron :

— Monsieur, quel est le secret de votre succès?

— Le secret de mon succès? Il tient en deux mots : bonnes décisions.

— Je vois. Mais comment prenez-vous les bonnes décisions?

— Un seul mot : l'expérience.

— Mais comment s'acquiert l'expérience?

— En deux mots : mauvaises décisions.

Catherine dit à sa mère qu'elle veut commencer une collection.

— Bonne idée. Qu'aimerais-tu collectionner?

— Des jouets neufs! lance-t-elle.

• •

Une maman lave les cheveux de sa petite fille.

— Je comprends pourquoi mes cheveux poussent! s'exclame la petite. Tu es toujours en train de les arroser!

En allant conduire son fils à l'école, un homme a une altercation avec un automobiliste.

— J'irais te taper dessus si ton fils n'était pas avec toi! hurle celui-ci.

— Tu as entendu ça? Il a peur de MOI! dit l'enfant tout fier.

• •

Marc revient d'une sortie organisée par son école.

— Qu'as-tu vu de beau? demande sa maman.

— J'ai vu des monuments hystériques! explique-t-il.

Le professeur demande au petit Philippe :

— Ta mère a eu un bébé?

— Oui, monsieur.

— C'est un petit garçon ou une petite fille?

— Une petite fille! J'ai tout vu!

— Tout vu! Comment ça?

— Maman lui met de la poudre.

Une mère emmène son bébé chez le pédiatre pour la première fois. Après l'examen, le médecin lui dit :

— Vous avez un très beau bébé.

— Je parie que vous dites la même chose à tous les nouveaux parents, dit-elle.

— Non. Seulement à ceux dont le bébé est vraiment mignon...

— Et que dites-vous aux autres?

— C'est votre portrait tout craché!

La chaleur que dégage un corps humain
chaque jour pourrait permettre de faire
bouillir environ 30 litres d'eau.

Un amateur d'art s'entretient pendant un bon moment avec un artiste, puis décide d'acheter une de ses toiles.

— Excellent choix! dit l'artiste. Je lui ai consacré 10 ans de ma vie.

— Vous avez passé 10 ans à la peindre?

— Non! Il ne m'a fallu qu'une journée pour la peindre, mais tout le reste du temps pour la vendre...

Un couple regarde la télévision. Durant une pause publicitaire, l'homme se rapproche de sa femme et tâte doucement son pied.

— Merci... Ça fait du bien, lui dit-elle.

— En fait, je cherche la télécommande, avoue-t-il.

. . . .

Un couple danse.

— C'est merveilleux! lance la jeune fille. Avec toi, je ne sens pas mes pieds toucher la piste!

— Ça ne m'étonne pas, répond le garçon en bougonnant. Ils sont sur les miens...

Julie commande une petite pizza au restaurant. La serveuse lui demande :

— C'est pour ici ou pour emporter?

— Pour manger ici et pour emporter ensuite.

• •

Catherine entre à la pharmacie et demande :

— Madame, je voudrais des lunettes.

— Pour le soleil?

— Non, pour moi, répond-elle.

Une cliente mécontente téléphone au service des réclamations d'un grand magasin :

— Je tiens absolument à parler au gérant!

— Certainement, madame, dit l'employé.

Il appuie sa paume sur le récepteur, et hurle :

— Hé, les gars! Qui veut faire le gérant aujourd'hui?

. . . .

Mon premier est le mâle de la biche.

Mon deuxième est le petit de la vache.

Mon troisième est le contraire de rapide.

Mon tout s'envole dans le vent.

Les empreintes digitales des koalas
ressemblent à celles des hommes.

Le professeur demande à ses élèves :

— Qu'est-ce qu'un égoïste?

— Un égoïste, c'est quelqu'un qui ne pense jamais à moi! répond Marc.

• • • • • • • • • • • • • • • • • • • •

Une fille de huit ans est invitée à passer la nuit chez une amie. Avant son départ, son père lui rappelle :

— Surtout, sois polie.

— Je sais... Je dois faire semblant d'avoir été bien élevée.

En 1850, plus de 200 soldats se sont
noyés en France quand le pont sur
lequel ils marchaient s'est effrondé
sous les vibrations de leurs pas.
Depuis, il est interdit de marcher au
pas en grand groupe sur les ponts.

Deux amis se rencontrent dans la rue.

— Alors, demande le premier, ça y est, tu as déménagé?

— Non, non. Je suis toujours au même endroit.

— Ah bon... Pourtant, tu avais préparé une annonce pour vendre ta maison...

— C'est vrai, mais quand je l'ai rédigée, je me suis rendu compte que c'était exactement le logis que je cherchais.

. . . .

Élodie demande à sa maman :

— Qu'est-ce qu'il fait, papa, comme métier?

— Il travaille dans un bureau.

— Mais comment fait-il pour entrer dans le tiroir?

Savais-tu que la bibliophobie est
la peur des livres?

En Italie, les moines peuvent maintenant commander des nouvelles tenues avec une poche pour les téléphones cellulaires.

Le petit Mathieu refuse d'aller voir le spectacle passionnant d'un épaulard carnivore.

— Pourquoi ne veux-tu pas le voir? lui demandent ses parents.

— Tante Jeannine m'a dit qu'on choisit des enfants dans l'assistance pour le nourrir!

• •

Une fillette voit sa grand-maman avec du maquillage pour la première fois et s'exclame :

— Grand-maman, tu ressembles à une maman!

Deux pilotes d'avion aveugles se préparent à décoller. L'avion s'approche dangereusement d'une falaise et les passagers se mettent à crier. Heureusement, l'avion décolle à temps. L'un des pilotes dit alors à l'autre :

— Tu sais ce qui me fait peur? C'est qu'un jour ils se mettent à crier trop tard…

• •

Mon premier est un bijou que l'on met au doigt.

Mon second accumule les années.

On emporte mon tout en vacances.

Durant les étés très chauds, le nectar de certaines fleurs fermente... ce qui enivre les abeilles qui viennent le récolter!

En 1848, les chutes Niagara se sont arrêtées durant 30 heures. L'eau était bloquée par un énorme iceberg.

Les cochons se roulent dans mon premier.

Mon deuxième ne va pas vite.

Mon troisième est un oiseau bleu.

Mon tout est un métier.

● ●

Mon premier est une note de musique.

On se nourrit de mon deuxième.

Mon troisième marque la négation.

Mon tout est indispensable pour faire du pain.

Un homme important, mais très distrait, se rend à une conférence en train. Le contrôleur lui demande son billet. L'homme ne le trouve pas. Paniqué, il se met à fouiller partout.

— Ne vous en faites pas, lui dit le contrôleur qui le connaît bien. Je suis certain que vous avez acheté un billet.

— Mais je dois le retrouver! Je ne sais pas où je m'en vais!

POURQUOI LES PIGEONS ROUX NE SAVENT-ILS PAS NAGER?

RÉPONSE : PARCE QUE LES PIGEONS ROUX COULENT (ROUCOULENT)!

Le séquoia est le plus grand arbre au monde. C'est un conifère qui peut atteindre plus de 140 mètres de hauteur et vivre plus de 2 000 ans!

En sortant d'un bar, deux hommes se disputent en regardant le ciel :

— Je te dis que c'est la Lune, dit l'un.

— Non, c'est le Soleil, dit l'autre.

Un troisième homme s'approche. Les deux premiers lui demandent :

— Est-ce le Soleil ou la Lune d'après toi?

— Je ne sais pas, répond-il. Je ne suis pas du coin.

• •

Saviez-vous que, de son vivant, Vincent Van Gogh n'a pu vendre qu'un seul tableau? (Il l'a vendu à son frère qui possédait une galerie d'art!)

Il faut aujourd'hui moins de temps aux
astronautes pour arriver sur la
Lune qu'il n'en fallait autrefois pour
traverser l'Angleterre en diligence!

Olivier est chez le dentiste. Sa maman le supplie :

— Sois sage, Olivier... Ouvre la bouche et fais « aaaaah » pour que le dentiste puisse enlever ses doigts...

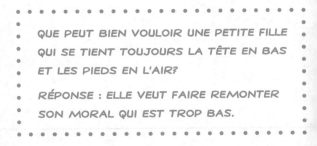

QUE PEUT BIEN VOULOIR UNE PETITE FILLE QUI SE TIENT TOUJOURS LA TÊTE EN BAS ET LES PIEDS EN L'AIR?

RÉPONSE : ELLE VEUT FAIRE REMONTER SON MORAL QUI EST TROP BAS.

Le vol le plus court pour aller d'un
continent à un autre dure 20 minutes.
C'est le temps qu'il faut pour aller
de Gibraltar, en Europe, à Tanger,
en Afrique.

Un homme de la campagne vient d'être engagé comme journaliste. Il n'a jamais voyagé. Son patron l'envoie faire un reportage à Venise. Dès son arrivée, il écrit à son patron :
« Rues totalement inondées. Envoyez instructions. »

. . . .

Une oie demande à une autre :

— Pourquoi les humains nous ont-ils fait une telle réputation de stupidité?

— À cause de toutes les bêtises qu'ils ont écrites avec nos plumes...

À Reykjavik, en Islande, de nombreux
bâtiments sont chauffés avec l'eau
chaude extraite des profondeurs
de la Terre.

Solutions